≋ PEQUENO ≋
≋ MANUAL ≋
ANTIRRACISTA

DJAMILA RIBEIRO

PEQUENO MANUAL ANTIRRACISTA

COMPANHIA DAS LETRAS

Grafia atualizada segundo o Acordo Ortográfico da Língua Portuguesa de 1990, que entrou em vigor no Brasil em 2009.

Capa Alceu Chiesorin Nunes

Preparação Julia Passos

Revisão Renata Lopes Del Nero e Adriana Moreira Pedro

Dados Internacionais de Catalogação na Publicação (CIP)
(Câmara Brasileira do Livro, SP, Brasil)

Ribeiro, Djamila
    Pequeno manual antirracista / Djamila Ribeiro. —
1ª ed. — São Paulo : Companhia das Letras, 2019.

    ISBN 978-85-359-3287-4

1. Antirracismo – Brasil 2. Brasil – Relações raciais 3.
Discriminação racial – Brasil 4. Mulheres negras –
Identidade racial 5. Negros – Relações sociais 6. Políticas
educacionais 7. Racismo – Brasil 8. Violência racial
I. Título.

19-30394   CDD-305.800981

Índice para catálogo sistemático:
1. Brasil : Lutas antirracistas : Sociologia   305.800981

Cibele Maria Dias – Bibliotecária – CRB-8/9427

13ª reimpressão

[2021]
Todos os direitos desta edição reservados à
EDITORA SCHWARCZ S.A.
Rua Bandeira Paulista, 702, cj. 32
04532-002 — São Paulo — SP
Telefone: (11) 3707-3500
www.companhiadasletras.com.br
www.blogdacompanhia.com.br
facebook.com/companhiadasletras
instagram.com/companhiadasletras
twitter.com/cialetras

SUMÁRIO ⩶

INTRODUÇÃO

QUANDO CRIANÇA, fui ensinada que a população negra havia sido escrava e ponto, como se não tivesse existido uma vida anterior nas regiões de onde essas pessoas foram tiradas à força. Disseram-me que a população negra era passiva e que "aceitou" a escravidão sem resistência. Também me contaram que a princesa Isabel havia sido sua grande redentora. No entanto, essa era a história contada do ponto de vista dos vencedores, como diz Walter Benjamin. O que não me contaram é que o Quilombo dos Palmares, na serra da Barriga, em Alagoas, perdurou por mais de um século, e que se organizaram vários levantes como forma de resistência à escravidão, como a Revolta dos Malês e a Revolta da Chibata. Com o tempo, compreendi que a população negra havia sido *escravizada*, e não era escrava — palavra que denota que essa seria uma condição natural, ocultando que esse grupo foi colocado ali pela ação de outrem.

Se para mim, que sou filha de um militante negro e que sempre debati essas questões em casa, perceber essas nuances é algo complexo e dinâmico, para quem refletiu pouco ou nada sobre esse tema pode ser ainda mais desafiador. O processo envolve uma revisão crítica profunda de nossa percepção de si e do mundo. Implica perceber que mesmo quem busca ativamente a consciência racial já compactuou com violências contra grupos oprimidos.

O primeiro ponto a entender é que falar sobre racismo no Brasil é, sobretudo, fazer um debate estrutural. É fundamental trazer a perspectiva histórica e começar pela relação entre escravidão e racismo, mapeando suas consequências. Deve-se pensar como esse sistema vem beneficiando economicamente por toda a história a população branca, ao passo que a negra, tratada como mercadoria, não teve acesso a direitos básicos e à distribuição de riquezas.

É importante lembrar que, apesar de a Constituição do Império de 1824 determinar que a educação era um direito de todos os cidadãos, a escola estava vetada para pessoas negras escravizadas. A cidadania se estendia a portugueses e aos nascidos em solo brasileiro, inclusive a negros libertos.

Mas esses direitos estavam condicionados a posses e rendimentos, justamente para dificultar aos libertos o acesso à educação.

Havia também a Lei de Terras de 1850, ano em que o tráfico negreiro passou a ser proibido no Brasil — embora a escravidão tenha persistido até 1888. Essa lei extinguia a apropriação de terras com base na ocupação e dava ao Estado o direito de distribuí-las somente mediante a compra. Dessa maneira, ex-escravizados tinham enormes restrições, pois só quem dispunha de grandes quantias poderia se tornar proprietário. A lei transformou a terra em mercadoria ao mesmo tempo que facilitou o acesso a antigos latifundiários — embora imigrantes europeus tenham recebido concessões, como a criação de colônias.

Quando estudamos a história do Brasil, vemos como esses e outros dispositivos legais, estabelecidos durante e após a escravidão, contribuem para a manutenção da mentalidade "casa-grande e senzala" no país em que, nas senzalas e nos quartos de empregada, a cor foi e é negra. A psicanalista Neusa Santos, autora de *Tornar-se negro*, de 1983, um dos primeiros trabalhos sobre a questão racial na psicologia, afirma que:

> a sociedade escravista, ao transformar o africano em escravo, definiu o negro como raça, demarcou o seu lugar, a maneira de tratar e ser tratado, os padrões de interação com o branco e instituiu o paralelismo entre cor negra e posição social inferior.[1]

No Brasil, há a ideia de que a escravidão aqui foi mais branda do que em outros lugares, o que nos impede de entender como o sistema escravocrata ainda impacta a forma como a sociedade se organiza. É necessário reconhecer as violências ocorridas durante o período escravista. Historiadores como Lilia Schwarcz, Flávio Gomes, João José Reis e Nizan Pereira Almeida já comprovaram que essa ideia não passa de um mito. São inúmeros os fatos históricos que a desmentem. Basta lembrar, por exemplo, que a expectativa de vida dos homens escravizados no campo era 25 anos, bem abaixo da média dos Estados Unidos para o mesmo grupo, 35 anos.[2]

Movimentos de pessoas negras há anos debatem o racismo como estrutura fundamental das relações sociais, criando desigualdades e abismos. O racismo é, portanto, um sistema de opressão que nega direitos, e não um simples ato da vontade de um indivíduo. Reconhecer o caráter estrutural do racismo pode ser paralisante. Afinal, como enfrentar um monstro tão grande? No entanto, não devemos nos intimidar. A prática antirracista é urgente e se dá nas atitudes mais cotidianas. Como diz Silvio Almeida em seu livro *Racismo estrutural*:

> Consciente de que o racismo é parte da estrutura social e, por isso, não necessita de *intenção* para se manifestar, por mais que calar-se diante do racismo não faça do indivíduo moral e/ou juridicamente culpado ou responsável, certamente *o silêncio o torna ética e politicamente responsável pela manutenção do racismo*. A mudança da sociedade não se faz apenas com denúncias ou com o repúdio moral do racismo: depende, antes de tudo, da tomada de posturas e da adoção de práticas antirracistas.[3]

Portanto, nunca entre numa discussão sobre racismo dizendo "mas eu não sou racista". O que está em questão não é um posicionamento moral, individual, mas um problema estrutural. A questão é: o que você está fazendo ativamente para combater o racismo? Mesmo que uma pessoa pudesse se afirmar como não racista (o que é difícil, ou mesmo impossível, já que se trata de uma estrutura social enraizada), isso não seria suficiente — a inação contribui para perpetuar a opressão.

É preciso ressaltar que mulheres e homens negros não são as únicas vítimas de opressão estrutural: muitos outros grupos sociais oprimidos compartilham experiências de discriminação em alguma medida comparáveis. Este livro foca em estratégias para combater o racismo contra pessoas negras, mas espero que, se possível, ele possa contribuir também para o combate a outras formas de opressão.[4]

O objetivo deste pequeno manual é apresentar alguns caminhos de reflexão — recuperando contribuições importantes de diversos autores e autoras sobre o tema — para quem quiser aprofundar sua percepção de discriminações estruturais e assumir a responsabilidade pela transformação de nossa sociedade. Afinal, o antirracismo é uma luta de todas e todos.

INFORME-SE SOBRE O RACISMO

O SISTEMA RACISTA está em constante processo de atualização e, portanto, deve-se entender seu funcionamento. Segundo Kabengele Munanga, importante pensador negro e professor na Universidade de São Paulo,

sem dúvida, todos os racismos são abomináveis e cada um faz as suas vítimas do seu modo. O brasileiro não é o pior, nem o melhor, mas ele tem as suas peculiaridades, entre as quais o silêncio, o não dito, que confunde todos os brasileiros e brasileiras, vítimas e não vítimas [do racismo].[1]

Dessa forma, como explica Munanga, para entender o racismo no Brasil é preciso diferenciá-lo de outras experiências conhecidas, como o regime nazista, o apartheid sul-africano ou a situação da população negra nos Estados Unidos na primeira metade do século XX, nas quais o racismo era explícito e institucionalizado por leis e práticas oficiais.

É verdade que o Brasil é diferente, mas nada é mais equivocado do que concluir que por isso não somos um país racista. É preciso identificar os mitos que fundam as peculiaridades do sistema de opressão operado aqui, e certamente o da democracia racial é o mais conhecido e nocivo deles. Concebido e propagado por sociólogos pertencentes à elite econômica na metade do século XX, esse mito afirma que no Brasil houve a transcendência dos conflitos raciais pela harmonia entre negros e brancos, traduzida na miscigenação e na ausência de leis segregadoras. O livro *Casa-grande & senzala*, de Gilberto Freyre, tornou-se um clássico mundial com a exportação dessa tese. A relevância da obra está em romper com uma tradição que legitimava o racismo científico — teorias biologizantes formuladas no século XIX que preconizavam uma suposta inferioridade natural do negro como forma de justificar a escravidão nas Américas —, tal como apresentado nas obras de Nina Rodrigues, por exemplo. Mas é preciso ler Freyre criticamente, indo na contramão daqueles que, estimulados pela naturalização da miscigenação forçada durante o período colonial, perpetuam o mito da democracia racial. Essa visão paralisa a prática antirracista, pois romantiza as violências sofridas pela população negra ao escamotear a hierarquia racial com uma falsa ideia de harmonia.

Na obra *Brancos e negros em São Paulo*, Roger Bastide e Florestan Fernandes apontaram:

"Nós, brasileiros", dizia-nos um branco, "temos o preconceito de não ter preconceito. E esse simples fato basta para mostrar a que ponto está arraigado no nosso meio social." Muitas respostas negativas explicam-se por esse preconceito de ausência de preconceito, por essa fidelidade do Brasil ao seu ideal de democracia racial.[2]

Como diz Munanga, "ecoa, dentro de muitos brasileiros, uma voz muito forte que grita: 'Não somos racistas! Racistas são os outros!'". Eu considero essa voz uma inércia causada pelo mito da democracia racial. Um bom exemplo dessa atitude está numa pesquisa do Datafolha realizada em 1995, que mostrou que 89% dos brasileiros admitiam existir preconceito de cor no Brasil, mas 90% se identificavam como não racistas. Na época, a pesquisa foi considerada a maior sobre o tema, entrevistando 5081 pessoas maiores de dezesseis anos, em 121 cidades, de todas as unidades da federação.

Devemos aprender com a história do feminismo negro, que nos ensina a importância de nomear as opressões, já que não podemos combater o que não tem nome. Dessa forma, reconhecer o racismo é a melhor forma de combatê-lo. Não tenha medo das palavras "branco", "negro", "racismo", "racista". Dizer que determinada atitude foi racista é apenas uma forma de caracterizá-la e definir seu sentido e suas implicações. A palavra não pode ser um tabu, pois o racismo está em nós e nas pessoas que amamos — mais grave é não reconhecer e não combater a opressão.

Chegamos, assim, à seguinte pergunta: o que, de fato, cada um de nós tem feito e pode fazer pela luta antirracista? O autoquestionamento — fazer perguntas, entender seu lugar e duvidar do que parece "natural" — é a primeira medida para evitar reproduzir esse tipo de violência, que privilegia uns e oprime outros. Simone de Beauvoir, em referência a Stendhal, autor que segundo a filósofa atribuía humanidade às suas personagens femininas, dizia que um homem que enxergasse a mulher como sujeito e tivesse uma relação de alteridade para com ela poderia ser considerado feminista. Esse mesmo raciocínio pode ser usado para pensar o antirracismo, com a ressalva de que sobre a mulher negra incide a opressão de classe, de gênero e de raça, tornando o processo ainda mais complexo.

ENXERGUE A NEGRITUDE

Desde cedo, pessoas negras são levadas a refletir sobre sua condição racial. O início da vida escolar foi para mim o divisor de águas: por volta dos seis anos entendi que ser negra era um problema para a sociedade. Até então, no convívio familiar, com meus pais e irmãos, eu não era questionada dessa forma, me sentia amada e não via nenhum problema comigo: tudo era "normal". "Neguinha do cabelo duro", "neguinha feia" foram alguns dos xingamentos que comecei a escutar. Ser a diferente — o que quer dizer não branca — passou a ser apontado como um defeito. Comecei a ter questões de autoestima, fiquei mais introspectiva e cabisbaixa. Fui forçada a entender o que era racismo e a querer me adaptar para passar despercebida. Como diz a pesquisadora Joice Berth: "Não me descobri negra, fui acusada de sê-la".

O mundo apresentado na escola era o dos brancos, no qual as culturas europeias eram vistas como superiores, o ideal a ser seguido. Eu reparava que minhas colegas brancas não precisavam pensar o lugar social da branquitude, pois eram vistas como normais: a errada era eu. Crianças negras não podem ignorar as violências cotidianas, enquanto as brancas, ao enxergarem o mundo a partir de seus lugares sociais — que é um lugar de privilégio — acabam acreditando que esse é o único mundo possível.

Essa divisão social existe há séculos, e é exatamente a falta de reflexão sobre o tema que constitui uma das bases para a perpetuação do sistema de discriminação racial. Por ser naturalizado, esse tipo de violência se torna comum. Ainda que uma pessoa branca tenha atributos morais positivos — por exemplo, que seja gentil com pessoas negras —, ela não só se beneficia da estrutura racista como muitas vezes, mesmo sem perceber, compactua com a violência racial.

Como muitas pessoas negras que circulam em espaços de poder, já fui "confundida" com copeira, faxineira ou, no caso de hotéis de luxo, prostituta. Obviamente não estou questionando a dignidade dessas profissões, mas o porquê de pessoas negras se verem reduzidas a determinados estereótipos, em vez de serem reconhecidas como seres humanos em toda a sua complexidade e com suas contradições. Meu irmão mais velho tocou trompete por muitos anos, fazendo inclusive parte da Sinfônica de Cubatão, na Baixada Santista. Toda vez que dizia ser músico, perguntavam se ele tocava pandeiro ou outro instrumento relacionado ao samba. Não teria problema se ele tocasse, a questão é pensar que homens negros só podem ocupar esse lugar. Simone de Beauvoir afirmava que não há crime maior do que destituir um ser humano de sua própria humanidade, reduzindo-o à condição de objeto.

Dessa mesma premissa deriva o imperativo de não tratar pessoas negras com condescendência. Lembro que uma vez, quando trabalhava como secretária numa empresa do porto de Santos, e fiz algo bastante corriqueiro: respondi a um e-mail. Fiquei surpresa ao ver a reação de alguns colegas, que me aplaudiram por eu ter escrito bem um texto. Eu havia cursado três anos de jornalismo, já tinha publicado artigos em revistas e jornais, portanto um e-mail não era motivo para aplausos.

Quando eu cursava filosofia, um colega se mostrou muito surpreso por eu ter tirado uma nota maior que a dele num trabalho e sugeriu que era porque o professor gostava de mim. Outro colega insinuou que me daria a parte mais fácil de um trabalho "para me ajudar". Experiências desse tipo me fizeram compreender que elogios podem significar condescendência.

Não é realista esperar que um grupo racial domine toda a produção do saber e seja a única referência estética. Por causa disso, a população negra criou estratégias ao longo de sua história para superar essa marginalização. O conhecido movimento Panteras Negras, do qual a ativista e filósofa Angela Davis fez parte, além de lutar contra a segregação racial nos Estados Unidos e pela emancipação do povo negro, tinha também em suas bases a valorização da estética negra. Kathleen Cleaver, uma das lideranças do movimento, aponta para a importância de que pessoas negras quebrem com a visão de que somente pessoas brancas são bonitas, valorizando o cabelo natural e as características típicas do povo negro e criando para ele uma nova consciência.

No campo das artes, temos experiências notáveis realizadas pela população negra no Brasil, mas, infelizmente, ainda pouco conhecidas. O Teatro Experimental do Negro (TEN), criado por Abdias do Nascimento em 1944, buscou valorizar a cultura afro-brasileira por meio da educação e da arte, formulando uma estética própria para além da reprodução da experiência de outros países e visando ao protagonismo do povo negro. Assim, tinha como bandeira "priorizar a valorização da personalidade e cultura específicas ao negro como caminho de combate ao racismo".[1] De lá, saíram nomes como o da atriz Ruth de Souza, que nos deixou, aos 98 anos, em julho de 2019.

Há outros bons exemplos de iniciativas que ampliam a visibilidade negra nas artes. A série Cadernos Negros, criada em 1978, foi responsável por publicar contos e poemas de escritores e escritoras negros, tornando-se um marco para a produção literária negra. Muitos dos primeiros textos de Conceição Evaristo foram publicados lá, por exemplo. O projeto Amazônia Negra, da fotógrafa Marcela Bonfim, busca reconhecer e valorizar as culturas negras em Rondônia. Bonfim sintetiza a importância de iniciativas desse tipo: "A maioria dos negros brasileiros precisa aprender a ser negro no percurso de suas vidas". Projetos assim contribuem para esse aprendizado.

É importante ter em mente que para pensar soluções para uma realidade, devemos tirá-la da invisibilidade. Portanto, frases como "eu não vejo cor" não ajudam. O problema não é a cor, mas seu uso como justificativa para segregar e oprimir. Vejam cores, somos diversos e não há nada de errado nisso — se vivemos relações raciais, é preciso falar sobre negritude e também sobre branquitude.

RECONHEÇA OS PRIVILÉGIOS DA BRANQUITUDE ≡

QUANDO PUBLIQUEI *O que é lugar de fala?*, muitos me perguntaram se pessoas brancas também podem se engajar na luta antirracista. Como explico naquele livro, todo mundo tem lugar de fala, pois todos falamos a partir de um lugar social. Portanto, é muito importante discutir a branquitude.

Pessoas brancas não costumam pensar sobre o que significa pertencer a esse grupo, pois o debate racial é sempre focado na negritude. A ausência ou a baixa incidência de pessoas negras em espaços de poder não costuma causar incômodo ou surpresa em pessoas brancas. Para desnaturalizar isso, *todos* devem questionar a ausência de pessoas negras em posições de gerência, autores negros em antologias, pensadores negros na bibliografia de cursos universitários, protagonistas negros no audiovisual. E, para além disso, é preciso pensar em ações que mudem essa realidade.

Se a população negra é a maioria no país, quase 56%, o que torna o Brasil a maior nação negra fora da África, a ausência de pessoas negras em espaços de poder deveria ser algo chocante. Portanto, uma pessoa branca deve pensar seu lugar de modo que entenda os privilégios que acompanham a sua cor. Isso é importante para que privilégios não sejam naturalizados ou considerados apenas esforço próprio.

Perceber-se é algo transformador. É o

que permite situar nossos privilégios e nossas responsabilidades diante de injustiças contra grupos sociais vulneráveis. Pessoas brancas, por exemplo, devem questionar por que em um restaurante, muitas vezes, as únicas pessoas negras presentes estão servindo mesas, ou se já foram consideradas suspeitas pela polícia por causa de sua cor. Trata-se de refutar a ideia de um sujeito universal — a branquitude também é um traço identitário, porém marcado por privilégios construídos a partir da opressão de outros grupos. Devemos lembrar que este não é um debate individual, mas estrutural: a posição social do privilégio vem marcada pela violência, mesmo que determinado sujeito não seja deliberadamente violento.

Os homens brancos são maioria nos espaços de poder. Esse não é um lugar natural, foi construído a partir de processos de escravização. Alguém pode perguntar: "Mas e no caso de homens brancos pobres ou homossexuais, que não necessariamente possuem todos os privilégios sociais de homens brancos heterossexuais ricos?". De fato, é sempre importante levar em consideração outras intersecções. Porém, o debate aqui é sobre uma estrutura de poder que confere privilégio racial a determinado grupo, criando mecanismos que perpetuam desigualdades.

Nesse sentido, mulheres brancas são discriminadas por serem mulheres, mas privilegiadas estruturalmente por serem brancas. O mesmo ocorre com homens brancos homossexuais, que são discriminados pela orientação sexual, mas, racialmente falando, fazem parte do grupo hegemônico. Isso de forma alguma exclui as opressões que sofrem, mas o localizam socialmente no lugar da branquitude.

O conceito de lugar de fala discute justamente o *locus social*, isto é, de que ponto as pessoas partem para pensar e existir no mundo, de acordo com as suas experiências em comum. É isso que permite avaliar quanto determinado grupo — dependendo de seu lugar na sociedade — sofre com obstáculos ou é autorizado e favorecido. Dessa forma, ter consciência da prevalência branca nos espaços de poder permite que as pessoas se responsabilizem e tomem atitudes para combater e transformar o perverso sistema racial que estrutura a sociedade brasileira.

O racismo é uma problemática branca, provoca Grada Kilomba. Até serem homogeneizados pelo processo colonial, os povos negros existiam como etnias, culturas e idiomas diversos — isso até serem tratados como "o negro". Tal categoria foi criada em um processo de discriminação, que visava ao tratamento de seres humanos como mercadoria. Portanto, o racismo foi inventado pela branquitude, que como criadora deve se responsabilizar por ele. Para além de se entender como privilegiado, o branco deve ter atitudes antirracistas. Não se trata de se sentir culpado por ser branco: a questão é se responsabilizar. Diferente da culpa, que leva à inércia, a responsabilidade leva à ação. Dessa forma, se o primeiro passo é desnaturalizar o olhar condicionado pelo racismo, o segundo é criar espaços, sobretudo em lugares que pessoas negras não costumam acessar.

PERCEBA O RACISMO INTERNALIZADO EM VOCÊ

COMO VIMOS, a maioria das pessoas admite haver racismo no Brasil, mas quase ninguém se assume como racista. Pelo contrário, o primeiro impulso de muita gente é recusar enfaticamente a hipótese de ter um comportamento racista: "Claro que não, afinal tenho amigos negros", "Como eu seria racista, se empreguei uma pessoa negra?", "Racista, eu, que nunca xinguei uma pessoa negra?".

A partir do momento em que se compreende o racismo como um sistema que estrutura a sociedade, essas respostas se mostram vazias. É impossível não ser racista tendo sido criado numa sociedade racista. É algo que está em nós e contra o que devemos lutar sempre.

É claro que há quem seja abertamente racista e manifeste sua hostilidade contra grupos sociais vulneráveis das mais diferentes formas. Mas é preciso notar que o racismo é algo tão presente em nossa sociedade que muitas vezes passa despercebido. Um exemplo é a ausência de pessoas negras numa produção cinematográfica — aí também está o racismo. Ou então quando, ao escutar uma piada racista, as pessoas riem ou silenciam, em vez de repreender quem a fez — o silêncio é cúmplice da violência. Muitas vezes, pessoas brancas não pensam sobre o que é o racismo, vivem suas vidas sem que sua cor as faça refletir sobre essa condição. Por isso, o combate ao racismo é um processo longo e doloroso. Como diz a pensadora feminista negra Audre Lorde, é necessário matar o opressor que há em nós, e isso não é feito apenas se dizendo antirracista: é preciso fazer cobranças.

Amelinha Teles, memorável feminista brasileira, em seu livro *Breve história do feminismo no Brasil*, afirma que ser feminista é assumir uma postura incômoda. Eu diria que ser antirracista também. É estar sempre atento às nossas próprias atitudes e disposto a enxergar privilégios. Isso significa muitas vezes ser tachado de "o chato", "aquele que não vira o disco". Significa entender que a linguagem também é carregada de valores sociais, e que por isso é preciso utilizá-la de maneira crítica deixando de lado expressões racistas como "ela é negra, mas é bonita" — que coloca uma conjunção adversativa ao elogiar uma pessoa negra, como se um adjetivo positivo fosse o contrário de ser negra —, usar "o negão" para se referir a homens negros — não se usa "o brancão" para falar de homens brancos —, ou elogiar alguém dizendo "negro de alma branca", sem perceber que a frase coloca "ser branco" como sinônimo de característica positiva.

É preciso pesquisar, ler o que foi produzido sobre o tema por pessoas negras — e é bastante coisa. No caso de quem tem acesso a bibliotecas e universidades, a responsabilidade é redobrada, e não deve ser delegada. Eu brinco que, muitas vezes, pessoas brancas nos colocam no lugar de "Wikipreta", como se nós precisássemos ensinar e dar todas as respostas sobre a questão do racismo no Brasil. Essa responsabilidade é também das pessoas brancas — e deve ser contínua.

* * *

Conversar em casa com a família e com os filhos, e não só manter uma imagem pública, com destaque para as redes sociais, também é fundamental. Algumas atitudes simples podem ajudar as novas gerações, como apresentar para as crianças livros com personagens negros que fogem de estereótipos ou garantir que a escola dos seus filhos aplique a Lei n. 10639/2003, que alterou a Lei de Diretrizes e Bases da Educação para incluir a obrigatoriedade do ensino da história africana e afro-brasileira. Um ensino que valoriza as várias existências e que referencie positivamente a população negra é benéfico para toda a sociedade, pois conhecer histórias africanas promove outra construção da subjetividade de pessoas negras, além de romper com a visão hierarquizada que pessoas brancas têm da cultura negra, saindo do solipsismo branco, isto é, deixar de apenas ver humanidade entre seus iguais. Mais ainda, são ações que diminuem as desigualdades.

Não podemos nos satisfazer com pouco. Apesar de termos avançado nas últimas décadas, não podemos achar que foi o suficiente. Não basta ter um ou dois negros na empresa, na TV, no museu, no ministério, na bibliografia do curso. Se disserem que ser antirracista é ser "o chato", tudo bem. Precisamos continuar lutando.

APOIE POLÍTICAS EDUCACIONAIS AFIRMATIVAS ⋝

POR CAUSA DO RACISMO ESTRUTURAL, a população negra tem menos condições de acesso a uma educação de qualidade. Geralmente, quem passa em vestibulares concorridos para os principais cursos nas melhores universidades públicas são pessoas que estudaram em escolas particulares de elite, falam outros idiomas e fizeram intercâmbio. E é justamente o racismo estrutural que facilita o acesso desse grupo.

Esse debate não é sobre capacidade, mas sobre oportunidades — e essa é a distinção que os defensores da meritocracia parecem não fazer. Um garoto que precisa vender pastel para ajudar na renda da família e outro que passa as tardes em aulas de idiomas e de natação não partem do mesmo ponto. Não são muitos os que podem se dar o luxo de cursar uma graduação sem trabalhar ou ganhando apenas uma bolsa de estagiário. Eu mesma entrei na Universidade Federal de São Paulo, cujo campus de ciências humanas foi criado em 2007 graças a políticas públicas, aos 27 anos e com uma filha pequena, tendo que fazer malabarismos para conseguir estudar.

Embora as desigualdades nas oportunidades para negros e brancos ainda sejam enormes, políticas públicas mostraram que têm potencial transformador na área. O caso das cotas raciais é notável. Na época em que o debate sobre ações afirmativas estava acalorado, um dos principais argumentos contrários à implementação de cotas raciais nas universidades era "as pessoas negras vão roubar a minha vaga". Por trás dessa frase está o fato de que pessoas brancas, por causa de seu privilégio histórico, viam as vagas em universidades públicas como suas por direito.

A primeira universidade a adotar as cotas raciais no vestibular foi a Universidade do Estado do Rio de Janeiro (Uerj), em 2003, seguida pela Universidade de Brasília (UnB), em 2004. As novas políticas públicas universitárias transformaram o perfil dos alunos ingressantes: ao contrário do que muita gente afirmava quando essas políticas começaram a ser implementadas, o desempenho positivo de alunos cotistas trouxe grandes avanços para o saber do país.

Pesquisas sobre os resultados dessas políticas logo começaram a surgir, como a do

Instituto de Pesquisa Econômica Aplicada (Ipea), em 2008, na qual se demonstrou que os alunos cotistas de quatro universidades federais tinham desempenho similar ou superior ao dos alunos não cotistas; e a da Procuradoria-Geral do Estado do Rio de Janeiro, realizada em parceria com universidades estaduais, a qual constatou que no período entre 2003 e 2016 a evasão universitária entre cotistas (26%) foi menor se comparada com a de não cotistas (37%), além de apontar desempenho similar entre ambos. Sobre outras políticas de acesso à educação, destaca-se o estudo de Jacques Wainer, professor do Instituto da Computação da Universidade Estadual de Campinas (Unicamp), e Tatiana Melguizo, professora associada da Universidade do Sul da Califórnia, que, com base na análise dos resultados de mais de 1 milhão de alunos que realizaram o Exame Nacional de Desempenho dos Estudantes (Enade), entre 2012 e 2014, apontou que não havia diferença entre as notas de beneficiários do programa Prouni e as de outros estudantes. Diferente da política de cotas, o Prouni é um convênio realizado entre universidades privadas e o governo federal que permite às universidades abaterem impostos ao oferecer bolsas integrais ou de 50% para alunos e alunas do programa — seja por raça ou por renda —, desde que mantenham um desempenho exemplar.

Muitas vezes, casos de pessoas negras que enfrentam grandes dificuldades para obter um diploma ou passar em um concurso público são romantizados. Entretanto, ainda que seja bastante admirável que pessoas consigam superar grandes obstáculos, naturalizar essas violências e usá-las como exemplos que justifiquem estruturas desiguais é não só cruel, como também uma inversão de valores. Não deveria ser normal que, para conquistar um diploma, uma pessoa precise caminhar quinze quilômetros para chegar à escola, estude com material didático achado no lixo ou que tenha que abrir mão de almoçar para pagar um transporte.

A cultura do mérito, aliada a uma política que desvaloriza a educação pública, é capaz de produzir catástrofes. Hoje, em vez de combater a violência estrutural na academia, a orientação de muitos chefes do Executivo brasileiro é uniformizar as desigualdades, cortando políticas públicas universitárias, como bolsas de estudo e cotas raciais e sociais.

Informe-se sobre as políticas públicas de combate à desigualdade racial e pela promoção da diversidade. Apoie e prestigie institutos de pesquisa e de desenvolvimento de políticas. Apoie candidatos que defendem políticas públicas efetivas e transformadoras.

A lei de cotas para universidades federais, promulgada em 2012, representou uma grande vitória. Uma pesquisa da Associação Nacional dos Dirigentes das Instituições Federais de Ensino Superior (Andifes) com base em dados de 2018 mostrou que, nessas instituições, a maioria dos estudantes é negra (51,2%), 64,7% cursaram o ensino médio em escolas públicas e 70,2% vêm de famílias com renda mensal per capita de até um salário mínimo e meio. Infelizmente o mercado de trabalho ainda não reflete essa mudança.

TRANSFORME SEU AMBIENTE DE TRABALHO ≋

HISTORICAMENTE, A BRANQUITUDE desenvolveu métodos de manutenção do que seria politicamente correto em relação à pauta racial e à reserva de espaço para o "negro único", o que é certamente uma de suas estratégias mais clássicas. Argumenta--se da seguinte forma: "Veja só, não somos racistas, temos o Fulano, que é negro, trabalhando em tal departamento e, inclusive, ele adora trabalhar aqui, não é mesmo, Fulano?". E o Fulano, talvez para manter seu emprego, talvez por que aprendeu a reproduzir o discurso da empresa, concorda.

No entanto, pessoas negras não são todas iguais, e Fulano, por melhor que seja, não pode representar todos os negros. Dessa forma, é preciso romper com a estratégia do "negro único": não basta ter uma pessoa negra para considerar que determinado espaço de poder foi "dedetizado contra o racismo". A herança escravista faz com que o mundo do trabalho seja particularmente racista — o que também o torna um dos espaços em que a luta antirracista pode ser mais transformadora. A primeira etapa para isso é sempre questionar o statu quo: essa é a melhor maneira de não reproduzir as variadas formas de racismo nos ambientes de trabalho.

Se você tem ou trabalha numa empresa, algumas questões que você deve colocar são: Qual a proporção de pessoas negras e brancas em sua empresa? E como fica essa proporção no caso dos cargos mais altos? Como a questão racial é tratada durante a contratação de pessoal? Ou ela simplesmente não é tratada, porque esse processo deve ser "daltônico"? Há, na sua empresa, algum comitê de diversidade ou um projeto para melhorar esses números? Há espaço para um humor hostil a grupos vulneráveis? Perguntas desse tipo podem servir de guia para uma reavaliação do racismo nos ambientes de trabalho. Como diz a pesquisadora Joice Berth, a questão, para além de representatividade, é de proporcionalidade.

Para começar, pensemos nos processos de contratação. Se uma empresa está focada em quem cursou universidades de elite ou tem inglês fluente, isso pode significar que apenas pessoas privilegiadas poderão enviar seus currículos, pois sabemos que, no Brasil, estudar outro idioma ou fazer um intercâmbio não é acessível para todo mundo. Somente uma parcela privilegiada da sociedade tem acesso a isso. Além do mais, o pacto narcísico da branquitude — expressão desenvolvida por Cida Bento em sua tese de doutorado, usada para definir como pessoas brancas anuem entre si para a manutenção de privilégios — colabora com a exclusão de outros grupos nas indicações de trabalho.

Uma pesquisa do Centro de Estudos das Relações de Trabalho e Desigualdades (Ceert) — organização indispensável para a luta antirracista, criada por Cida Bento, em 1990 —, em parceria com a Aliança Jurídica pela Equidade Racial, apontou que pessoas negras não somam 1% entre advogados e sócios de escritórios de advocacia. Entre estagiários, não chega a 10%. O estudo, de 2019, ouviu 3624 pessoas em nove das maiores bancas de São Paulo e demonstra como os números refletem a necessidade de discutir desigualdades, oportunidades e diversidade no mercado de trabalho.

Se quisermos pensar essa questão pelo viés econômico, vale lembrar que uma equipe diversificada aumenta seu potencial produtivo: segundo estudiosos do tema, como Reinaldo Bulgarelli, um ambiente diverso estimula a criatividade.

A baixa presença de pessoas negras no ambiente de trabalho, ou mesmo distantes de cargos de gerência, pode deixar o espaço altamente suscetível a violências racistas. Em um caso recente, por exemplo, a filial brasileira de uma empresa norte-americana de software promoveu um baile à fantasia como celebração de final de ano, oferecendo uma premiação para a melhor fantasia, no valor de 3 mil reais. Um funcionário, certo de que seria engraçado, optou pela representação racista de um homem negro sexualizado, com um órgão genital grande, uma imagem que circulava na época entre grupos de WhatsApp. A foto de sua fantasia, que ficou em quarto lugar no concurso, chegou à sede norte-americana, que demitiu o empregado. O gerente da área em que ele trabalhava disse que a demissão havia sido exagerada, o que o fez ser demitido também. Então, o presidente da filial brasileira defendeu os dois, dizendo se tratar de uma "grande brincadeira". Resultado: também foi demitido. O que é notável nesse episódio é como o caso foi conduzido e a grande repercussão, mas a agressão propriamente dita é, infelizmente, apenas uma variante das muitas formas de violência a que pessoas negras são expostas ainda hoje nos ambientes de trabalho.

A experiência internacional é rica em exemplos que podem servir de inspiração. Na Noruega, todas as empresas nacionais destinam 40% dos assentos em conselhos de administração para mulheres. A proposta veio de um parlamentar do Partido Conservador, com o argumento: "Se a gente não pensasse em políticas de reparação e equidade, só contrataria os homens com os quais a gente joga golfe no domingo". De fato, se só convivemos com pessoas de um determinado grupo ou classe social, acreditamos que só aquelas pessoas possuem capacidade para determinados cargos, relegando outros grupos a lugares predeterminados, como se não fossem sujeitos capazes. O que esse político norueguês coloca é a importância de questionarem desigualdades.

Devemos nos perguntar: quantos talentos o Brasil perde todos os dias por causa do racismo? A situação é ainda mais grave para mulheres negras, que são muitas vezes destinadas ao subemprego: quantas físicas, biólogas, juízas, sociólogas etc. estamos perdendo? Políticas que obrigam as empresas a pensar e criar ações antirracistas poderiam reverter esse quadro.

No Brasil, a Lei de Cotas para o Serviço Público Federal visa diminuir desigualdades. Declarada constitucional pelo Supremo Tribunal Federal em 2017, ficou estipulado que

a desequiparação promovida pela política de ação afirmativa em questão está em consonância com o princípio da isonomia. Ela se funda na necessidade de superar o racismo estrutural e institucional ainda existente na sociedade brasileira, e garantir a igualdade material entre os cidadãos, por meio da distribuição mais equitativa de bens sociais e da promoção do reconhecimento da população afrodescendente.[1]

O racismo assume diversas dimensões num ambiente de trabalho, o que demanda análise constante das práticas corporativas. Por causa disso, diversas empresas têm buscado consultorias especializadas para rever sua política de diversidade, preocupadas em se atualizar em relação aos novos marcos civilizatórios. Isso é resultado do trabalho de organizações negras como o Ceert, que lutam há décadas para introduzirem essas questões urgentes no mercado de trabalho. Há dezenas de consultorias de diversidade atuando nas várias regiões do Brasil. Procure conhecer mais sobre elas, informe-se sobre o trabalho do Ceert, introduza o tema na empresa em que trabalha — assim você contribui com um ambiente mais diverso, democrático e produtivo.

LEIA AUTORES NEGROS ⋸

MESMO VENCENDO todos os obstáculos que acompanham a pele não branca e ingressando na pós-graduação, o estudante encontrará outro desafio: o epistemicídio, isto é, o apagamento sistemático de produções e saberes produzidos por grupos oprimidos. A renomada feminista negra Sueli Carneiro traduziu epistemicídio, conceito originalmente proposto pelo sociólogo português Boaventura Sousa Santos, em sua tese de doutorado da seguinte forma:

Alia-se nesse processo de banimento social a exclusão das oportunidades educacionais, o principal ativo para a mobilidade social no país. Nessa dinâmica, o aparelho educacional tem se constituído, de forma quase absoluta, para os racialmente inferiorizados, como fonte de múltiplos processos de aniquilamento da capacidade cognitiva e da confiança intelectual. É fenômeno que ocorre pelo rebaixamento da autoestima que o racismo e a discriminação provocam no cotidiano escolar; pela negação aos negros da condição de sujeitos de conhecimento, por meio da desvalorização, negação ou ocultamento das contribuições do continente africano e da diáspora africana ao patrimônio cultural da humanidade; pela imposição do embranquecimento cultural e pela produção do fracasso e evasão escolar. A esse processo denominamos epistemicídio.[1]

Os sinais de apagamento da produção negra são evidentes. É raro que as bibliografias dos cursos indiquem mulheres ou pessoas negras; mais raro ainda é que indiquem a produção de mulheres negras, cuja presença no debate universitário e intelectual é extremamente apagada. Durante os quatro anos de minha graduação em filosofia, não me sugeriram a leitura de nenhuma autora branca, que dirá negra. A gravidade disso está exemplificada por Abdias do Nascimento em *O genocídio do negro brasileiro*, no qual afirma que genocídio é toda forma de aniquilação de um povo, seja moral, cultural ou epistemológica. Por nossa posição no arranjo geopolítico global, a produção de intelectuais negras brasileiras tende a ser muito menos difundida do que a de países como os Estados Unidos, causando atraso em debates que poderiam estar muito mais avançados.

Um belo exemplo de feminista negra brasileira é Lélia Gonzalez, atuante nas décadas de 1970 e 1980 e professora do curso de sociologia da Pontifícia Universidade Católica do Rio de Janeiro, que encantou plateias com o poder transformador de suas palavras. As propostas de Lélia para pensar a "amefricanidade", propondo um feminismo afro-latino-americano, se perpetuam até hoje ao se propor uma luta transnacional.

O apagamento da produção e dos saberes negros e anticoloniais contribui significativamente para a pobreza do debate público, seja na academia, na mídia ou em palanques políticos. Se somos a maioria da população, nossas elaborações devem ser lidas, debatidas e citadas.

A importância de estudar autores negros

não se baseia numa visão essencialista, ou seja, na crença de que devem ser lidos apenas por serem negros. A questão é que é irrealista que numa sociedade como a nossa, de maioria negra, somente um grupo domine a formulação do saber. É possível acreditar que pessoas negras não elaborem o mundo? É sobre isso que a escritora Chimamanda Ngozi Adichie alerta ao falar do perigo da história única. O privilégio social resulta no privilégio epistêmico, que deve ser confrontado para que a história não seja contada apenas pelo ponto de vista do poder. É danoso que, numa sociedade, as pessoas não conheçam a história dos povos que a construíram.

Para escrever este pequeno manual, me inspirei em textos e livros de diversos autores e intelectuais negros, que cito com reverência — as obras mencionadas estão nas referências bibliográficas, ao final deste livro. Leia: Abdias do Nascimento, Adilson Moreira, Alessandra Devulsky, Angela Davis, Audre Lorde, bell hooks, Carla Akotirene, Chimamanda Ngozi Adichie, Cida Bento, Conceição Evaristo, Elisa Lucinda, Grada Kilomba, Joel Zito Araújo, Joice Berth, Juliana Borges, Kabengele Munanga, Lélia Gonzalez, Letícia Carolina Pereira do Nascimento, Luciana Boiteux, Michelle Alexander, Neusa Santos Sousa, Rodney William Eugênio, Silvio Almeida, Sueli Carneiro. Há tantos outros: Clóvis Moura, Fernanda Felisberto, Nilma Lino Gomes, impossível citar todos. E muitos mais que não conheço ainda.

As construções sobre raça se dão de forma singular e complexa nas diferentes regiões do país. Por isso, precisamos conhecer a produção de mulheres negras de fora das grandes metrópoles — como Nilma Bentes, Zélia Amador e Marcela Bonfim — e ampliar as nossas visões de mundo. Procure conhecer o trabalho realizado por núcleos de estudos afro-brasileiros em universidades, valorize editoras que publicam produções intelectuais negras e apoie iniciativas que têm como objetivo a visibilidade de pensamentos decoloniais. Precisamos ir além do que já conhecemos.

QUESTIONE A CULTURA QUE VOCÊ CONSOME ⋙

TODA VEZ QUE VOU dar uma palestra, pode ser sobre racismo, diversidade ou o pensamento de Simone de Beauvoir, alguém me pergunta sobre apropriação cultural — mais precisamente, sobre o uso de turbantes por pessoas não negras. Alguns anos atrás, houve uma polêmica nas redes sociais, em que uma moça branca afirmava que um grupo de mulheres negras teria arrancado o turbante dela à força. Há quem não acredite que a situação tenha se dado assim, porém, como a história viralizou nas redes sociais, é comum que as pessoas tenham dúvidas sobre esse tema.

Em primeiro lugar, é importante dizer que o debate sobre apropriação cultural não deve ser reduzido a poder ou não usar turbante. A discussão pertinente é aquela que denuncia o quanto culturas negras e indígenas foram expropriadas e apropriadas historicamente. Nos processos de colonização, a visão de cultura do colonizador foi imposta, enquanto bens culturais eram saqueados. Um exemplo disso são as coleções dos principais museus da Europa, onde hoje se encontram objetos de diferentes países africanos, asiáticos e americanos — peças que, com certeza, devem significar muito para essas culturas. A questão crucial desse debate é que o interesse pela cultura de certos povos não caminha lado a lado com o desejo de restituir a humanidade de grupos oprimidos.

Assim, muitas pessoas que consomem cultura negra não se preocupam com as mazelas que a população negra vive no país. Ou ainda, não se importam com o embranquecimento dessas culturas. Como bem explica o antropólogo Rodney William:

apropriação cultural não diz respeito ao que pode ou não ser usado. Não é sobre branco não poder usar turbante, cantar samba ou jogar capoeira. A questão da apropriação cultural é sobre uma estrutura de poder. Há um poder instituído na sociedade desde a colonização que delega aos dominantes o direito de definir quem é inferior nessa estrutura e como se pode dispor de suas produções culturais e até de seus corpos.[1]

Outro ponto importante é perceber em que medida um elemento cultural foi esvaziado de sentido. Portanto, é fundamental debater o papel do capitalismo na perpetuação do racismo. Por exemplo, uma marca de luxo pode fazer uma coleção de moda inspirada em elementos da cultura negra, porém só contratar modelos brancas para o desfile — essas peças chegam ao consumidor já destituídas de sentido. O debate, dessa forma, precisa ser estrutural, não individual.

É importante que se tenha uma preocupação real em não desrespeitar os símbolos de outras culturas. Para isso, deve-se nutrir empatia pelos diversos grupos existentes na sociedade, um processo intelectual que é construído ao longo do tempo e exige comprometimento: quando eu conheço uma cultura, eu a respeito. Então é essencial estudar, escutar e se informar.

O debate sobre racismo se mostra urgente quando falamos de mídia e de acesso a recursos para produções audiovisuais. No documentário A *negação do Brasil*, o diretor Joel Zito Araújo analisa a influência das telenovelas no imaginário coletivo nacional, enquanto faz uma denúncia contra o racismo televisivo e o papel estereotipado destinado a atores negros e atrizes negras. Remontando ao exemplo de *black face* — isto é, quando personagens negros são representados por atores brancos com o rosto pintado — ocorrido na novela A *cabana do Pai Tomás*, de 1969, na qual o ator Sérgio Cardoso se pintou de preto para interpretar o papel do protagonista, o escravizado Tomás, o cineasta apresenta um panorama do racismo na teledramaturgia brasileira. O diretor apresenta muitos casos de racismo e critica o lugar subalterno a que personagens negros são relegados: para além da reivindicação justa por representatividade, também se deve questionar o modo como estamos sendo retratados. Muitas vezes atores negros são contratados para atuarem como "bandido" ou "bêbado", no caso dos homens, ou como empregada doméstica ou a "gostosa", no caso das mulheres.

O professor de direito antidiscriminatório Adilson Moreira identificou os elementos do que ele chama de racismo recreativo: um "mecanismo que encobre a hostilidade racial por meio do humor". No livro que escreveu sobre o tema, Moreira nomeia alguns estereótipos: Tião Macalé, o "feio"; Mussum, o "bêbado"; Vera Verão, a "bicha preta".

O primeiro exemplo, Tião Macalé, foi um personagem do conhecido programa humorístico *Os Trapalhões*, interpretado pelo ator negro Augusto Temístocles da

Silva Costa. Macalé era retratado sem a maioria dos dentes, pois a feiura do personagem seria responsável pelo efeito cômico, segundo Moreira.

Mais recentemente, Adelaide, personagem do programa *Zorra Total* interpretado pelo ator Rodrigo Sant'Anna, seguia o mesmo modelo cômico de Macalé. O ator se caracterizava de mulher, pintava a pele de preto e colocava uma prótese que dava a impressão de que Adelaide não possuía alguns dentes da frente. Caracterizado como "a negra pobre desdentada", o bordão cômico da personagem era "a cara da riqueza".

Já Mussum, um dos personagens mais populares da TV nas décadas de 1980 e 1990, interpretado pelo ator Antônio Carlos Bernardes Gomes, era o estereótipo do bêbado. Um dos elementos cômicos do programa *Os Trapalhões* era direcionar piadas racistas ao personagem. Segundo Moreira, o efeito cômico de Mussum era um exemplo do tipo de humor que visa provar uma suposta superioridade do homem branco em relação ao homem negro, uma vez que os personagens brancos eram representados de forma sóbria. Por fim, Vera Verão, personagem interpretado pelo ator Jorge Luís Sousa Lima, era o estereótipo do homossexual negro promíscuo, que tentava seduzir homens de maneira direta, porém sempre sendo rejeitado.

Já Sueli Carneiro, ao escrever sobre *Terra Nostra*, novela dos anos 1999-2000 de muito sucesso, responde aos elogios de que a novela estaria contribuindo para a "autoestima da comunidade italiana". No artigo *"Terra Nostra* só para os italianos", Sueli relembra alguns dos diálogos:

Assistimos ao menino Tiziu reclamar de sua sorte ingrata com a seguinte frase: "Deus não quis me embranquecer". Imagine o impacto dessas frases na autoestima da comunidade negra, especialmente sobre as crianças negras.

Em outra passagem, Sueli relembra:

O barão do café pondera com seu contratador sobre a impossibilidade de abrigar os italianos nas senzalas desertas pela abolição. Diz ele: "São brancos. Trazem no coração o espírito da liberdade. Não vão aceitar essa história de senzala".

Então, Sueli conclui:

Considerando que os personagens negros não têm relevância na trama, a sua presença e a imagem negativa que veiculam prestam-

-se unicamente a ratificar a suposta superioridade do branco.[2]

As frases destacadas por Sueli Carneiro refletem a história da população negra no Brasil, que, após séculos de escravização, viram imigrantes europeus receberem incentivos do Estado brasileiro, inclusive com terras, enquanto a negritude formalmente liberta pela Lei Áurea era deixada à margem. Os incentivos para imigrantes fizeram parte de uma política oficial de branqueamento da população do país, com base na crença do racismo biológico de que negros representariam o atraso. Essa perspectiva marcou a história brasileira, valorizando culturas europeias em detrimento da cultura negra, segregando a população negra de diversas formas, inclusive por leis e pela esterilização forçada de mulheres negras, prática que o Estado brasileiro manteve até um passado recente, como comprovado pela CPI da Esterilização de 1992, proposta pela deputada federal Benedita da Silva e resultado da pressão feita por feministas negras nos anos 1980.

Esses são alguns exemplos de estereótipos que confinam atores negros e atrizes negras, resultando em poucas opções de personagens que não sejam marcados por essas violências simbólicas. Enquanto atores brancos e atrizes brancas recebem amplas oportunidades de representação na indústria audiovisual, negros e negras ainda lutam para que suas atuações não firam a humanidade de pessoas negras. Do mesmo modo, ainda são poucos os cineastas, roteiristas e produtores negros: as opções ficam limitadas como resultado do racismo estrutural.

Nas redações de jornais não é diferente.

Segundo o Grupo de Estudos Multidisciplinar da Ação Afirmativa (Gemaa), núcleo de pesquisas sediado na Uerj, nem 10% dos colunistas dos grandes jornais são negros. No meu caso, quando comecei a escrever na *CartaCapital*, comentando filmes, livros ou textos de outras pessoas, mais de uma vez alguém ligou furioso na redação, dizendo que eu não havia entendido o que quiseram dizer. Eu achava curioso, pois era como se a crítica de uma pessoa negra ao trabalho de uma pessoa branca rompesse com o pacto narcísico. O racismo conhece o potencial transformador da potente voz de grupos historicamente silenciados.

Quando assistir a um filme ou a uma novela, procure refletir sobre a presença ou a ausência de atores e atrizes negros. Quantas pessoas negras estão atuando? Que personagens interpretam? O mesmo vale para qualquer produto cultural: quando for a uma exposição de arte, a uma festa literária, a um debate sobre poesia, quando ler um livro ou folhear uma revista. E, para você que pode contratar profissionais da cultura ou investir em projetos culturais, reflita quem você escolhe para a equipe e quais temas estão sendo tratados. Você está fazendo o que pode para contribuir para a luta antirracista?

CONHEÇA SEUS DESEJOS E AFETOS ⋍

As MULHERES NEGRAS são ultrassexualizadas desde o período colonial. No imaginário coletivo brasileiro, propaga-se a imagem de que são "lascivas", "fáceis" e "naturalmente sensuais". Essa ideia serve, inclusive, para justificar abusos: mulheres negras são as maiores vítimas de violência sexual no país.

Obviamente a questão não é sobre a sensualidade de determinada mulher, mas sim sobre necessidade de enquadrar mulheres negras nesse estereótipo. É importante refutar a visão colonial, que via os corpos negros como violáveis. Respeito muito o importante trabalho de passistas de escola de samba, por exemplo, que lutam para perpetuar o verdadeiro legado do samba. O nu só deveria ser problematizado quando utilizado dentro da lógica colonial.

Quando Gilberto Freyre, em *Casa-grande & senzala*, faz afirmações como: "O que a negra da senzala fez foi facilitar a depravação com a sua docilidade de escrava; abrindo as pernas ao primeiro desejo do sinhô-moço",[1] ele contribui para a fetichização. As mulheres negras escravizadas eram tratadas como mercadoria, propriedade, portanto não tinham escolha. Nesse contexto, não há como negar que elas eram estupradas pelos senhores de engenho.

Ao afirmar que "nós carregamos a marca", Luiza Bairros exemplifica bem a ultrassexualização dos corpos negros femininos, que faz com que a imagem das mulheres negras seja vista sob o prisma da exotização. Luiza denunciou de forma obstinada a violência mascarada pelo mito da democracia racial. Ou pior que mascarada: a "marca", em vez de ser problematizada, é vista como um elogio da beleza negra.

Essa sexualização retira a humanidade das mulheres, pois deixamos de ser vistas com toda a complexidade do ser humano. Somos muitas vezes importunadas, tocadas, invadidas sem a nossa permissão. Muitas vezes temos nossos nomes ignorados, sendo chamadas de "nega". São atitudes que parecem inofensivas, mas que para mulheres negras são recorrentes e violentas.

O racismo somado ao machismo já me fez passar por situações absurdas. Enquanto eu cursava filosofia, um colega, metido a engraçado, perguntou: "Por que você, uma negra bonita, está queimando seus neurônios estudando filosofia?". Outro me questionou por que eu não "arrumava um gringo rico pra casar". Na cabeça deles, por eu ser uma "negra bonita", meu lugar não era na universidade.

A poeta e escritora Elisa Lucinda tem uma frase forte, mas muito pertinente: "Deixar de ser racista não é comer uma mulata". A autora chama atenção para o fato de que se relacionar com uma pessoa negra não significa ter uma consciência antirracista. Primeiro, porque é necessário entender como essa relação se dá. Se ela segue signos racistas, como a ideia de que mulheres negras são "quentes" e "naturalmente sensuais", ou ainda se a pessoa só procura pessoas negras para relações casuais, e não para um compromisso duradouro, a relação é pautada pelo racismo.

Recentemente, o tema da solidão da mulher negra se tornou objeto de pesquisas acadêmicas. Em sua dissertação de mestrado, posteriormente publicada em livro com o título *Virou regra?*, Claudete Alves discute como o racismo é um fenômeno que abarca a dimensão afetiva e sexual da mulher negra, que fica à margem das escolhas afetivas de homens brancos e negros. Ana Cláudia Lemos Pacheco aborda o mesmo assunto em sua tese de doutorado, *"Branca para casar, mulata para f..., negra para trabalhar": Escolhas afetivas e significados de solidão entre mulheres negras em Salvador.* Numa sociedade racista, machista e heteronormativa, as mulheres negras ficaram relegadas ao papel de servir: seja na cozinha, seja na cama.

Dados do Censo 2010 mostram que as mulheres negras são as que menos se casam e, entre as com mais de cinquenta anos, elas são maioria na categoria "celibato definitivo", ou seja, que nunca viveram com um cônjuge.[2] Obviamente não pretendo sugerir com quem as pessoas devem se relacionar. A questão é revelar os processos históricos que fazem com que as mulheres negras, sobretudo as retintas, sejam sistematicamente preteridas, como se não fossem dignas de serem amadas. É preciso questionar padrões estéticos que desumanizam as mulheres negras.

Em seu ensaio "Vivendo de amor", bell hooks ressalta a importância do amor na vida das mulheres negras, sobretudo o amor-próprio. "Quando nos amamos, sabemos que é preciso ir além da sobrevivência", ela afirma. Esse é um entendimento fundamental para que mulheres negras possam perceber que merecem amor em suas vidas.

Em outra esfera, há a relação de afeto por conveniência, que ocorre, por exemplo, com a trabalhadora doméstica. Apesar do avanço da legislação nos anos 2000, muitas vezes essa profissional não tem seus direitos assegurados nem condições dignas de trabalho, já que, segundo seus patrões, ela "é quase da família". É mais fácil amar pessoas negras quando elas estão "no seu devido lugar". Minha mãe foi empregada doméstica por alguns anos, antes de conhecer meu pai. Quando anunciou que se casaria e que, a partir daquele momento, não trabalharia mais, sua antiga patroa tentou fazê-la desistir do relacionamento, inclusive inventando histórias sobre o futuro marido. Portanto, minha mãe só podia ser amada enquanto permanecesse no lugar que julgavam ser o dela.

Em relacionamentos inter-raciais, muitas vezes as pessoas de fora dizem esperar que o filho do casal carregue traços mais parecidos com o genitor de pele branca. No entanto, atribuir uma qualidade negativa ao fenótipo negro, falando coisas como "cabelo ruim", diz muito sobre os padrões de beleza racistas impostos em nossa sociedade. Como a norma é branca, tudo que difere é visto como o que não é bom.

Dessa forma, é fundamental que pessoas brancas compreendam os mecanismos pelos quais o racismo opera, pois podem reproduzi-los acreditando estarem imunes por terem um marido, uma esposa ou um filho negros. Estar atento ao que a pessoa negra da família relata é um passo importante. Fala-se muito em empatia, em colocar-se no lugar do outro, mas empatia é uma construção intelectual, ética e política. Ao amar alguém de um grupo minorizado, deve-se entender a condição do outro, para que se possa, de fato, assumir ações para o combate de opressões das quais a pessoa amada é vítima. É uma postura ética: questionar as próprias ações em vez de utilizar a pessoa amada como escudo. A escuta, portanto, é fundamental.

COMBATA A VIOLÊNCIA RACIAL ⋍

ENTRE 2007 E 2018, 553 mil pessoas foram assassinadas no Brasil. O total de mortos é maior do que o da Síria, país que enfrenta há sete anos uma guerra civil e que, segundo estimativa da Organização das Nações Unidas (ONU), contabiliza 500 mil mortos. Portanto, não surpreende que o tema da segurança pública tenha ganhado tanta importância nas últimas eleições.

Mas é preciso lembrar que a vítima preferencial tem pele negra. O Atlas da Violência de 2018, realizado pelo Fórum

Brasileiro de Segurança Pública, revelou que a população negra está mais exposta à violência no Brasil. Os negros representam 55,8% da população brasileira e são 71,5% das pessoas assassinadas. Entre 2006 e 2016, a taxa de homicídios de indivíduos não negros (brancos, amarelos e indígenas) diminuiu 6,8%, enquanto no mesmo período a taxa de homicídios da população negra aumentou 23,1%. Segundo dados da Anistia Internacional, a cada 23 minutos um jovem negro é assassinado no Brasil, o que evidencia que está em curso o genocídio da população negra, sobretudo jovens.

Infelizmente, o assunto só ganha destaque no debate público quando um caso muito violento chega aos noticiários, como o brutal assassinato de Evaldo dos Santos por agentes do Exército, no Rio de Janeiro. No dia 7 de abril de 2019, o carro em que

Evaldo e sua família estavam foi alvejado por militares. Inicialmente divulgou-se que foram disparados 83 tiros, mas o total chegou a 257.[1] Na época, muitas pessoas se manifestaram diante desse absurdo. O que muitas dessas pessoas talvez ignorem é que esse não foi um caso isolado: ele integra uma política de segurança pública voltada para a repressão e o extermínio de pessoas negras, sobretudo homens.

Na maior parte das vezes, o Judiciário é uma extensão da viatura policial: não se exige uma investigação detalhada nem se admite o contraditório para quem é acusado pela seletividade do sistema. No entanto, mesmo com tantos casos comprovados de abuso policial, que resultam em prisões descuidadas e injustas, a naturalização dessa violência levou o Tribunal de Justiça do Rio de Janeiro a ter como súmula — isto é, uma decisão que de tantas vezes proferida se torna um entendimento cristalizado — admitir como elemento suficiente para a condenação apenas a palavra dos policiais que efetuaram a prisão. A conhecida súmula 70 do TJRJ reflete um entendimento comum a todos os tribunais do país. Segundo um estudo da Defensoria Pública do Rio de Janeiro e da Secretaria Nacional de Políticas sobre Drogas (Senad) do Ministério da Justiça, entre março de 2016 e janeiro de 2018, os policiais foram as únicas testemunhas em 71,14% dos processos envolvendo tráfico. Não se trata aqui de dizer que nenhum policial é digno de crédito, porém um julgamento não pode se pautar única e exclusivamente pela palavra de quem prendeu, pois se corre o risco de tornar o policial juiz e carrasco do caso.

Historicamente, o sistema penal foi utilizado para promover um controle social, marginalizando grupos considerados "indesejados" por quem podia definir o que é crime e quem é o criminoso. No Brasil, foram várias as legislações que visavam criminalizar a população negra, como a Lei de Vadiagem, de 1941, que perseguia quem estivesse na rua sem uma ocupação clara justamente numa época de alta taxa de desemprego entre homens negros.

Hoje, a chamada "guerra às drogas" serve como pretexto para uma guerra contra a população negra. O tema se tornou ainda mais urgente após a Lei n. 11.343 de 2006, que estabeleceu uma diferenciação subjetiva entre traficante e usuário. O que teoricamente parecia ser um avanço na verdade contribuiu para a explosão da população carcerária: isso porque quem define quem é traficante e quem é usuário é o juiz, o que é feito, muitas vezes, com base na discriminação racial.

Em 2015, um homem negro teve sua condenação a quatro anos e onze meses de prisão pelo "tráfico" de 0,02 grama de maconha mantida pelo Superior Tribunal de Justiça. Ele já havia sido julgado por um juiz de primeira instância e pelo Tribunal de Justiça de Minas Gerais. O exemplo é ilustrativo da produção em massa de uma população carcerária condenada por quantidades muito pequenas de substâncias ilícitas; estão presos, na verdade, por sua cor. O critério subjetivo acentua a já profunda discriminação racial. Para comparação, não há violência policial em ambientes ricos, como festas universitárias, mesmo sabendo-se do uso de drogas nesses lugares, como ocorre nas periferias. Há, portanto, um contexto de criminalização da pobreza.

Sabemos que hoje dois em cada três presos no Brasil são negros. Sabemos também que o tráfico lidera as tipificações para o encarceramento: 26% dos homens estão presos por tráfico, chegando a 62% no caso das mulheres.

Também vale destacar que em quinze anos a prisão de mulheres aumentou 567,4%. Segundo o relatório '"MulhereSem-Prisão: Enfrentando a (in)visibilidade das mulheres submetidas à justiça criminal", desenvolvido pelo Instituto Terra, Trabalho e Cidadania (ITTC), 68% das encarceradas são negras, a maioria é mãe, não possui antecedentes criminais e tem dificuldade de acesso a empregos formais. Como afirma Carla Akotirene em sua dissertação de mestrado, *Ó pa í, prezada! Racismo e sexismo institucionais tomando bonde no Conjunto Penal Feminino de Salvador*, a prisão precisa ser analisada na contemporaneidade sobre alicerces interseccionais de raça, classe e gênero. Akotirene identifica, na perspectiva das mulheres,

> um aspecto de sexismo e racismo institucionais em concordância com a inclinação observada da polícia em ser arbitrária com o segmento negro sem o menor constrangimento, de punir os comportamentos das mulheres de camadas sociais estigmatizados como sendo de caráter perigoso, inadequado e passível de punição.[2]

Ainda segundo o relatório "MulhereSemPrisão", o Poder Judiciário brasileiro prende essas mulheres sem oferecer medidas alternativas. A feminista e militante antiproibicionista e antipunitivista Juliana Borges, tomando como base o trabalho da pesquisadora e advogada Luciana Boiteux, denuncia violações de direitos humanos contra essas mulheres:

> No caso das mulheres, é muito comum o relato de buscas e "apreensões", invasões, sem mandado de busca, em seus domicílios, tortura e humilhação para obter informações que sequer elas têm conhecimento; relatos de prisão pela proximidade com algum familiar envolvido com o tráfico; prisões quando transportando pequenas quantidades, sendo que muitas são intimidadas a fazer isso. A imensa maioria dessas mulheres é ré primária, ou seja, jamais teve passagem pelos registros policiais.[3]

Como diz a advogada estadunidense Michelle Alexander:

A confusão da negritude com o crime não ocorreu naturalmente. Ela foi construída pelas elites políticas e midiáticas como parte de um amplo projeto conhecido como Guerra às Drogas. Essa confusão serviu para fornecer uma porta de saída legítima para a expressão do ressentimento e do *animus* antinegros — uma válvula de escape conveniente agora que as formas explícitas de preconceito racial estão estritamente condenadas. Na era da neutralidade racial, já não é permitido odiar negros, mas podemos odiar criminosos. Na verdade, nós somos encorajados a fazer isso.[4]

Há vários textos para se aprofundar no debate sobre segurança pública, política de drogas e antipunitivismo. O tema é complexo, porém é essencial para entender a realidade do país, especialmente quando temos elementos que indicam que está ocorrendo um genocídio da população negra.

Numa sociedade violenta como a nossa, é natural sentirmos medo. Em especial dessa violência generalizada que o próprio Estado promove — e por isso devemos denunciar a violência policial. Porém, é muito triste constatar que, por outro lado, o Brasil é o país onde mais morrem policiais. A maioria deles vem da classe trabalhadora, muitas vezes dos mesmos lugares onde jovens negros estão sendo assassinados. Se a polícia é o braço armado do Estado opressor, é também um dos lados que cai com essa guerra.

Como já afirmou a socióloga Denise Ferreira da Silva, o assassinato dos jovens negros deveria criar uma crise ética na sociedade brasileira.[5] No entanto, não há revolta com tanto sangue derramado, enquanto há enorme comoção na mídia quando a violência tira a vida de uma pessoa branca. Devemos nos perguntar por que não se dá o mesmo valor a essas vidas. Nos Estados Unidos, após a absolvição do policial George Zimmerman, que matou a tiros o adolescente negro Trayvon Martin, surgiu o importante movimento Black Lives Matter [Vidas negras importam]. Em 2014, o grupo ficou conhecido nacionalmente depois das manifestações contra os assassinatos dos jovens Michael Brown, em Ferguson, e Eric Garner, em Nova York. Desde então, o movimento vem fazendo um trabalho de denúncia da violência policial, questionando políticos e incitando o debate público.

No Brasil, existem vários movimentos e organizações engajadas em questionar o modelo punitivista e em combater abusos por parte do Estado, como a Iniciativa Negra, a Rede de Proteção e Resistência

Contra o Genocídio, o projeto Movimentos, o Instituto de Defesa do Direito de Defesa (IDDD), o Fórum Brasileiro de Segurança Pública, entre outros. Há várias maneiras de apoiar o trabalho dessas pessoas, quer seja financeiramente, divulgando as iniciativas ou comparecendo a eventos e manifestações.

SEJAMOS TODOS ANTIRRACISTAS ⋜

PERCEBER-SE CRITICAMENTE implica uma série de desafios para quem passa a vida sem questionar o sistema de opressão racial. A capacidade desse sistema de passar despercebido, mesmo estando em todos os lugares, é intrínseca a ele. Acordar para os privilégios que certos grupos sociais têm e praticar pequenos exercícios de percepção pode transformar situações de violência que antes do processo de conscientização não seriam questionadas.

Este pequeno manual serve, assim, como

um guia para adentrar debates complexos e com desdobramentos diversos. Esta leitura pretende refletir na tomada de atitudes antirracistas, sobretudo para quem busca uma postura ética em sua existência. Claro que há diferentes modos de percepção dos temas aqui tratados. Assim como ocorre com o movimento feminista, o movimento negro não é homogêneo e tem profundas discordâncias internas, portanto este manual está longe de querer esgotar qualquer assunto.

Pessoas brancas devem se responsabilizar criticamente pelo sistema de opressão que as privilegia historicamente, produzindo desigualdades, e pessoas negras podem se conscientizar dos processos históricos para não reproduzi-los. Este livro é uma pequena contribuição para estimular o autoconhecimento e a construção de práticas antirracistas.

NOTAS ≡

INTRODUÇÃO <pp. 7-15>

1   Neusa Santos Souza, *Tornar-se negro ou As vicis-situdes da identidade do negro brasileiro em ascen-são social*. Rio de Janeiro: Graal, 1983, p. 19.

2   Herbert S. Klein, "Novas interpretações do tráfi-co de escravos do Atlântico". *Revista de História*, n. 120, p. 18, jan./jul. 1989.

3   Silvio Almeida, *Racismo estrutural*. São Paulo: Pólen, 2019, p. 52.

4   Sobre a questão dos povos indígenas, sugiro as obras de Daniel Munduruku, Ailton Krenak e Davi Kopenawa, entre outros.

INFORME-SE SOBRE O RACISMO <pp. 17-22>

1   Lilian Milena, "Kabengele Munanga, o antro-
    pólogo que desmistificou a democracia racial no
    Brasil". *Carta Maior*, 15 maio 2019. Disponível
    em: <www.cartamaior.com.br/?/Editoria/Direi-
    tos-Humanos/Kabengele-Munanga-o-antropo-
    logo-que-desmistificou-a-democracia-racial-no-
    -Brasil/5/44091>. Acesso em: 23 ago. 2019.

2   Roger Bastide; Florestan Fernandes, *Brancos e
    negros em São Paulo*. 2. ed. São Paulo: Compa-
    nhia Editora Nacional, 1959, p. 164.

ENXERGUE A NEGRITUDE <pp. 23-30>

1   Abdias do Nascimento, "Teatro Experimental
    do Negro: Trajetória e reflexões". *Estudos Avan-
    çados*, São Paulo, v. 18, n. 50, 2004, p. 218.

TRANSFORME SEU AMBIENTE
DE TRABALHO <pp. 51-9>

1   Supremo Tribunal Federal, *Ação Declaratória de
    Constitucionalidade 41*. Disponível em: <http://
    redir.stf.jus.br/paginadorpub/paginador.jsp?doc-

TP=TP&docID=13375729>. Acesso em: 19
set. 2019.

LEIA AUTORES NEGROS <pp. 61-7>

1   Sueli Carneiro, *A construção do outro como não-
    -ser como fundamento do ser*. Tese de doutorado
    em educação. Universidade de São Paulo, 2005.

QUESTIONE A CULTURA QUE VOCÊ
CONSOME <pp. 69-81>

1   Rodney William, *Apropriação cultural*. São Paulo:
    Pólen, 2019, p. 109. Coleção Feminismos Plurais.
2   Sueli Carneiro, *Escritos de uma vida*. Belo Hori-
    zonte: Letramento, 2018, p. 104.

CONHEÇA SEUS DESEJOS E AFETOS <pp. 83-91>

1   Gilberto Freire, *Casa-grande & senzala*. São
    Paulo: Global, 2003, p. 456.
2   Isabela Vieira, "Pesquisa mostra que raça é fator
    predominante na escolha de parceiros conju-
    gais". *EBC*, 17 out. 2012. Disponível em: <www.

ebc.com.br/2012/10/pesquisa-mostra-que-raca-
-e-fator-predominante-na-escolha-de-parceiros-
-conjugais>. Acesso em: 18 set. 2019.

COMBATA A VIOLÊNCIA RACIAL <pp. 93-105>

1   Lucas França, "Laudo aponta 257 disparos em
    ação do Exército que matou 2 no RJ". *R7*, 10 maio
    2019. Disponível em: <https://noticias.r7.com/
    rio-de-janeiro/laudo-aponta-257-disparos-em-acao-
    -do-exercito-que-matou-2-no-rj-10052019>. Aces-
    so em: 25 set. 2019.
2   Carla Adriana da Silva Santos [Carla Akotirene],
    *Ó pa í, prezada! Racismo e sexismo institucionais
    tomando bonde no Conjunto Penal Feminino de
    Salvador.* Dissertação de mestrado em estudos in-
    terdisciplinares sobre mulheres, gênero e feminis-
    mo. Universidade Federal da Bahia, 2014, p. 51.
3   Juliana Borges, *Encarceramento em massa*. São
    Paulo: Pólen, 2019, p. 108.
4   Michelle Alexander, *A nova segregação: Racis-
    mo e encarceramento em massa*. São Paulo: Boi-
    tempo, 2018, pp. 281-2.
5   Denise Ferreira da Silva, "Ninguém: direito, racia-
    lidade e violência". *Meritum*, v. 9, n. 1, p. 67-117,
    jan./jun. 2014.

REFERÊNCIAS BIBLIOGRÁFICAS

ADICHIE, Chimamanda Ngozi. *O perigo de uma história única*. São Paulo: Companhia das Letras, 2019.

ALEXANDER, Michelle. *A nova segregação: Racismo e encarceramento em massa*. São Paulo: Boitempo, 2018.

ALMEIDA, Nizan Pereira. *A construção da invisibilidade e da exclusão da população negra nas práticas e políticas educacionais no Brasil*. Tese de doutorado em educação. Curitiba, Universidade Federal do Paraná, 2014.

ALMEIDA, Silvio. *Racismo estrutural*. São Paulo: Pólen, 2019. Coleção Feminismos Plurais.

ALVES, Claudete. *Virou regra?* São Paulo: Scortecci, 2011.

ANDIFES e FONAPRACE. V *Pesquisa do perfil socioeco-nômico e cultural dos estudantes de graduação,* 2019. Disponível em: <www.andifes.org.br/wp-content/uploads/2019/05/V-Pesquisa-do-Per-fil-Socioecono%CC%82mico-dos-Estudantes--de-Graduac%CC%A7a%CC%83o-das-U.pdf>. Acesso em: 23 ago. 2019.

BASTIDE, Roger; FERNANDES, Florestan. *Brancos e ne-gros em São Paulo.* 2. ed. São Paulo: Companhia Editora Nacional, 1959.

BEAUVOIR, Simone de. *O segundo sexo.* Rio de Janeiro: Nova Fronteira, 2009.

BENJAMIN, Walter. "Teses sobre o conceito de histó-ria". In: _____. *Obras escolhidas,* Trad. de Sergio Paulo Rouanet. São Paulo: Brasiliense, 1996. v. 1: *Magia e técnica, arte e política.* pp. 222-32.

BENTO, Maria Aparecida da Silva. *Pactos narcísicos no racismo: Branquitude e poder nas organizações empresariais e no poder público.* Tese de douto-rado em psicologia. Universidade de São Paulo, 2002.

BERTH, Joice. *O que é empoderamento?* São Paulo: Pólen, 2018. Coleção Feminismos Plurais.

BORGES, Juliana. *Encarceramento em massa*. São Paulo: Pólen, 2019. Coleção Feminismos Plurais.

BULGARELLI, Reinaldo. *Diversos somos todos: Valorização, promoção e gestão da diversidade nas organizações*. São Paulo: Editora de Cultura, 2008.

CARNEIRO, Sueli. *A construção do outro como não-ser como fundamento do ser*. Tese de doutorado em educação. Universidade de São Paulo, 2005.

_____. *Escritos de uma vida*. Belo Horizonte: Letramento, 2018.

CEERT. "Negros representam menos de 1% do corpo jurídico de grandes escritórios". 21 mar. 2019. Disponível em: <https://ceert.org.br/noticias/direitos-humanos/24308/negros-representam-menos-de-1-do-corpo-juridico-de-grandes-escritorios>. Acesso em: 23 ago. 2019.

COLLINS, Patricia Hill. *Pensamento feminista negro*. São Paulo: Boitempo, 2019.

DAVIS, Angela. *Mulheres, raça e classe*. São Paulo: Boitempo, 2016.

DEFENSORIA Pública do Estado do Rio de Janeiro. *Relatório final pesquisa sobre as sentenças judiciais por tráfico de drogas na cidade e região* metropolitana do Rio de Janeiro. Disponível em: <www.conjur.com.br/dl/palavra-policiais-foi-u-nica-prova-54.pdf>. Acesso em: 19 set. 2019.

FREYRE, Gilberto. *Casa-grande & senzala*. São Paulo: Global, 2003.

GONZALEZ, Lélia. "Racismo e sexismo na cultura brasileira". In: KEMPER, Anna Katrin (Coord.). *Psicanálise e política*. Rio de Janeiro: Clínica Social de Psicanálise, 1981. pp. 155-80.

_____. "A categoria político-cultural de amefricanidade". *Tempo Brasileiro*, Rio de Janeiro, n. 92--3, pp. 69-82 1988.

HOOKS, bell. "Vivendo de amor". In: WERNECK, Jurema; MENDONÇA, Maisa; WHITE, Evelyn C. (Orgs.). *O livro da saúde das mulheres negras: Nossos passos vêm de longe*. Rio de Janeiro: Pallas; Criola, 2000. pp. 184-93.

INSTITUTO Terra, Trabalho e Cidadania. "Mulhere Sem-Prisão: Enfrentando a (in)visibilidade das mulheres submetidas à justiça criminal", 2019. Disponível em: <http://ittc.org.br/wp-content/uploads/2019/05/mulheresemprisao-enfrentando-invisibilidade-mulheres-submetidas-a-justica--criminal.pdf>. Acesso em: 23 ago. 2019.

IPEA; Fórum Brasileiro de Segurança Pública. *Atlas da violência 2016*. Brasília: Ipea; FBSP, 2016. Disponível em: <www.forumseguranca. org.br/storage/publicacoes/FBSP_Atlas_violencia_2016.pdf>. Acesso em: 23 ago. 2019.

_____. *Atlas da violência 2018*. Brasília: Ipea; FBSP, 2018. Disponível em: <www.ipea.gov.br/ portal/images/stories/PDFs/relatorio_institucional/180604_atlas_da_violencia_2018.pdf>. Acesso em: 23 ago. 2019.

"KATHLEEN Cleaver on Natural African Hair", 9 maio 2011. Disponível em: <www.youtube. com/watch?v=JUna84ztulU>. Acesso em: 23 ago. 2019.

KILOMBA, Grada. *Memórias da plantação: Episódios de racismo cotidiano*. Rio de Janeiro: Cobogó, 2019.

KLEIN, Herbert S. "Novas interpretações do tráfico de escravos do Atlântico". *Revista de História*, n. 120, jan./jul. 1989.

KOPENAWA, Davi; ALBERT, Bruce. *A queda do céu: Palavras de um xamã yanomami*. São Paulo: Companhia das Letras, 2015.

KRENAK, Ailton. *Ideias para adiar o fim do mundo*. São Paulo: Companhia das Letras, 2019.

LUCINDA, Elisa. *50 poemas escolhidos pelo autor*. Rio de Janeiro: Galo Branco, 2004.

MILENA, Lilian. "Kabengele Munanga, o antropólogo que desmistificou a democracia racial no Brasil". *Carta Maior*, 15 maio 2019. Disponível em: <www.cartamaior.com.br/?/Editoria/Direitos-Humanos/Kabengele-Munanga-o--antropologo-que-desmistificou-a-democracia--racial-no-Brasil/5/44091>. Acesso em: 23 ago. 2019.

MOREIRA, Adilson. *Racismo recreativo*. São Paulo: Pólen, 2019. Coleção Feminismos Plurais.

MOURA, Clóvis. *Sociologia do negro brasileiro*. São Paulo: Ática, 1988.

MUNANGA, Kabengele. *Negritude: Usos e sentidos*. Belo Horizonte: Autêntica, 2015.

MUNANGA, Kabengele. *Origens africanas do Brasil contemporâneo: Histórias, línguas, culturas e civilizações*. São Paulo: Global, 2009.

MUNDURUKU, Daniel. *O banquete dos deuses: Conversa sobre a origem e a cultura brasileira*. São Paulo: Global, 2015.

NASCIMENTO, Abdias. "Teatro Experimental do Negro: Trajetória e reflexões". *Estudos Avançados*, São Paulo, v. 18, n. 50, pp. 209-24, 2004.

_____. *O genocídio do negro brasileiro: Processo de um racismo mascarado*. São Paulo: Perspectiva, 2016.

PACHECO, Ana Cláudia Lemos. *"Branca para casar, mulata para f..., negra para trabalhar": escolhas afetivas e significados de solidão entre mulheres negras em Salvador, Bahia*. Tese de doutorado em ciências sociais.

PROCURADORIA Geral do Estado do Rio de Janeiro. "Relatório final sobre a efetividade da Lei de Cotas nas universidades estaduais", 2017. Disponível em: <www.pge.rj.gov.br/comum/code/MostrarArquivo.php?C=Mjc4MQ%­2C%2C>. Acesso em: 2 set. 2019.

RIBEIRO, Djamila. *O que é lugar de fala?* São Paulo: Pólen, 2019. Coleção Feminismos Plurais.

SANTOS, Carla Adriana da Silva, [Carla Akotirene]. *Ó pa í, prezada! Racismo e sexismo institucionais tomando bonde no Conjunto Penal Feminino de Salvador*. Dissertação de mestrado em estudos interdisciplinares sobre mulheres, gênero e feminismo. Universidade Federal da Bahia, 2014.

SCHWARCZ, Lilia Moritz. *Sobre o autoritarismo brasileiro*. São Paulo: Companhia das Letras, 2019.

SILVA, Denise Ferreira da. "Ninguém: direito, racialidade e violência". *Meritum*, v. 9, n. 1, p. 67-117, jan./jun. 2014.

SOUZA, Neusa Santos. *Tornar-se negro ou As vicissitudes da identidade do negro brasileiro em ascensão social*. Rio de Janeiro: Graal, 1983.

SUPREMO Tribunal Federal. *Ação Declaratória de Constitucionalidade 41*. Disponível em: <http://redir.stf.jus.br/paginadorpub/paginador.jsp?docTP=TP&docID=13375729>. Acesso em: 19 set. 2019.

TELES, Maria Amélia de Almeida. *Breve história do feminismo no Brasil*. São Paulo: Brasiliense, 1993.

VIEIRA, Isabela. "Pesquisa mostra que raça é fator predominante na escolha de parceiros conjugais". *EBC*, 17 out. 2012. Disponível em: <www.ebc.com.br/2012/10/pesquisa-mostra-que-raca-e-fator-predominante-na-escolha-de-parceiros-conjugais>. Acesso em: 18 set. 2019.

WAINER, Jacques; MELGUIZO, Tatiana. "Políticas de inclusão no ensino superior: Avaliação do desempenho dos alunos baseado no Enade de 2012 a 2014". *Educação e Pesquisa*, São Paulo, v. 44, e162807, 2017.

WILLIAM, Rodney. *Apropriação cultural*. São Paulo: Pólen, 2019. Coleção Feminismos Plurais.

SOBRE A AUTORA

DJAMILA RIBEIRO nasceu em Santos, em 1980. É mestre em filosofia política pela Unifesp, colunista do jornal *Folha de S.Paulo* e foi secretária-adjunta de Direitos Humanos e Cidadania do município de São Paulo. Coordena a coleção Feminismos Plurais, da editora Pólen, e é autora de *O que é lugar de fala?* (2017) e *Quem tem medo do feminismo negro?* (Companhia das Letras, 2018). Seus livros também foram publicados na França e atualmente são preparadas edições em espanhol e em italiano. Atua no grupo Promotoras Legais Populares (PLPs), que forma lideranças femininas em periferias do estado de São Paulo, e participa da formação de juízas e juízes visando mudar o olhar judicial sobre a população negra. Em 2018, integrou a lista das cem pessoas negras mais influentes do mundo com menos de quarenta anos (Mipad, na sigla em inglês), distinção apoiada pela ONU. Em 2019, recebeu do governo francês o título de personalidade do amanhã e ganhou o prêmio holandês Prince Claus por suas ações em defesa dos direitos humanos e da justiça social. Como conferencista convidada já esteve em cidades como Madri, Paris, Barcelona, Berlim, Frankfurt, Weimar, Londres, Edimburgo, Nova York, Berkeley, Duke, Cidade do Cabo, Acra, além de dezenas de cidades por todo o Brasil.

SOBRE OS AUTORES
NEGROS CITADOS

ABDIAS DO NASCIMENTO (1914-2011) foi ator, diretor, dramaturgo, ativista e professor universitário.
Criador do Teatro Experimental do Negro, em
1948, foi um dos pioneiros na luta pela valorização da cultura afro-brasileira. Preso durante o
Estado Novo, foi obrigado a exilar-se durante a
ditadura militar.

ADILSON MOREIRA é professor e pesquisador, doutor em direito constitucional pela Universidade
Harvard e pela Universidade Federal de Minas
Gerais (UFMG). É especialista em direito antidiscriminatório. Colunista de *CartaCapital*,
escreveu *Racismo recreativo* para a coleção
Feminismos Plurais, entre outros livros.

ALESSANDRA DEVULSKY é advogada, professora e pesquisadora. Tem doutorado em direito econômico pela USP e especialização em direito ambiental. Atualmente é professora na Universidade do Quebec, no Canadá, e diretora jurídica do Instituto Luiz Gama. Publicou *Edelman: Althusserianismo, direito e política*.

ANA CLÁUDIA LEMOS PACHECO é socióloga, professora e pesquisadora. Doutora em ciências sociais, é professora da Universidade do Estado da Bahia (Uneb). Seus principais temas de pesquisa incluem gênero, raça e lideranças femininas, com ênfase nos bairros populares de Salvador. Publicou *Mulher negra: afetividade e solidão* e organizou *Gênero trans e multidisciplinar* (com Alfrancio Ferreira Dias).

ANGELA DAVIS, norte-americana, é filósofa, professora, conferencista e ativista. Um dos ícones da luta antirracista e feminista nos Estados Unidos, integrou o Partido Comunista e os Panteras Negras. Foi presa nos anos 1970 por sua militância política. É autora de *Mulheres, cultura e política*, entre outros ensaios.

AUDRE LORDE (1934-92), norte-americana, foi escritora, professora e ativista, conhecida por sua produção com temática feminista e antirracista. Além de poemas e narrativas, escreveu livros de ensaios como *Sister Outsider* e *Uses of the Erotic*, nos quais reflete sobre política, feminismo, racismo e erotismo.

BELL HOOKS, norte-americana, é professora, escritora e ativista. Seus livros, artigos e conferências abordam as relações de classe, gênero e raça na sociedade pós-moderna. Publicou mais de trinta livros, dos quais os mais influentes são *Teaching to Transgress* e *Teaching Community*, em que propõe uma pedagogia antissexista e libertária.

CARLA AKOTIRENE é formada em serviço social pela Universidade Católica de Salvador, mestra e doutoranda em estudos sobre mulheres, gênero e feminismo pela UFBA. É assistente social na Secretaria de Saúde da capital baiana. Publicou *O que é interseccionalidade?*, da Coleção Feminismos Plurais.

CHIMAMANDA ADICHIE, nigeriana, é escritora, ensaísta, ativista e conferencista. Sua obra foi traduzida para mais de trinta línguas. É autora de *Sejamos todos feministas* e *Meio sol amarelo*, entre outros.

Recebeu diversos prêmios, entre eles o Orange Prize e o National Book Critics Circle Award.

CIDA BENTO é psicóloga, pesquisadora e ativista, com doutorado pela Universidade de São Paulo (USP). Fundadora e coordenadora do Centro de Estudos das Relações de Trabalho e Desigualdades (Ceert), em 2015 foi eleita pela revista *The Economist* uma das cinquenta profissionais mais influentes do mundo no campo da diversidade.

CLAUDETE ALVES é pedagoga, professora, escritora e ativista. Mestre em ciências sociais pela PUC-SP, é autora de *Virou regra?* e *Negro: O Brasil nos deve milhões!*. Foi vereadora de São Paulo por dois mandatos pelo Partido dos Trabalhadores. É autora da lei n. 13.707/2003, que instituiu o feriado do Dia da Consciência Negra na cidade.

CLÓVIS MOURA (1925-2003) foi jornalista, sociólogo, escritor e pioneiro do ativismo negro. Filiado ao Partido Comunista Brasileiro (PCB), integrou o Movimento Negro Unificado (MNU) e a União de Negros Pela Igualdade (Unegro). Escreveu, entre outros, *Dialética radical do Brasil Negro* e *Dicionário da escravidão negra no Brasil*.

CONCEIÇÃO EVARISTO é escritora, professora e ativista. Doutora em letras pela Universidade Federal Fluminense (UFF), estreou na literatura publicando contos na coleção Cadernos Negros. Escreveu os romances *Ponciá Vicêncio* (traduzido em inglês e francês) e *Becos da memória*, além de poemas e narrativas curtas.

DENISE FERREIRA DA SILVA é socióloga, professora e artista, com doutorado pela Universidade de Pittsburgh. Lecionou nas Universidades de Londres e San Diego e atualmente é diretora do Social Justice Institute da Universidade da Colúmbia Britânica, no Canadá. Seus principais temas de pesquisa são raça, nação, globalização, negros, Brasil e cultura. Participou das bienais de arte de São Paulo e Liverpool.

ELISA LUCINDA é poeta, jornalista, atriz e cantora. Tem mais de dez livros publicados, incluindo poemas, contos, ensaios e crítica. Entre seus títulos mais conhecidos estão *Eu te amo e suas estreias* e *A poesia do encontro* (com Rubem Alves). Atuou em várias novelas, filmes e peças de teatro.

FERNANDA FELISBERTO é doutora em literatura comparada pela Universidade Estadual do

Rio de Janeiro (Uerj) e professora de letras na Universidade Federal Rural do Rio de Janeiro (UFRRJ). Como pesquisadora, atua em cultura afrodescendente, literatura africana e gênero. Autora de vários artigos e capítulos sobre esses temas, organizou a coletânea *Terras de palavras: Contos afro-brasileiros*.

GRADA KILOMBA, portuguesa, é psicóloga, escritora e artista. Doutora pela Universidade Livre de Berlim, já realizou exposições em vários países. Suas obras tematizam gênero, racismo e pós-colonialismo. Entre seus livros mais conhecidos estão *Plantation Memories* e *Who Can Speak? Decolonizing Knowledge*.

JOEL ZITO ARAÚJO é diretor, roteirista, pesquisador e escritor. Doutor em comunicação pela USP, já realizou seis filmes, com ênfase na temática negra. Seu drama *Filhas do vento* foi estrelado por Ruth de Sousa. *Meu amigo Fela*, documentário sobre o músico nigeriano Fela Kuti, é seu trabalho mais recente.

JOICE BERTH é arquiteta e urbanista, pesquisadora e ativista. Seu trabalho aborda o direito à cidade no contexto das questões de raça e gênero. Militante feminista, publicou *O que é empode-*

ramento? na coleção Feminismos Plurais. Foi colunista do site Justificando e atualmente escreve para a revista *CartaCapital*.

JULIANA BORGES é bacharel em letras, pesquisadora em antropologia e ativista. Foi secretária adjunta de políticas para as mulheres e assessora especial da prefeitura de São Paulo na gestão de Fernando Haddad. Escreveu *O que é encarceramento em massa?* para a coleção Feminismos Plurais.

KABENGELE MUNANGA, brasileiro-congolês, é antropólogo, professor e pesquisador. Tem doutorado pela USP, onde lecionou. Dirigiu o Museu de Arqueologia e Etnologia da USP. Atualmente é professor visitante da Universidade Federal do Recôncavo da Bahia (UFRB). Seus livros mais recentes são *O negro no Brasil de hoje* (com Nilma Lino Gomes) e *Origens africanas do Brasil contemporâneo*.

LÉLIA GONZALEZ (1935-94) foi escritora, ativista e pesquisadora. Doutora em antropologia, lecionou na PUC-RJ e em outras instituições. Participou da fundação do Movimento Negro Unificado (MNU), do Coletivo de Mulheres Negras N'Zinga e do Olodum. É autora de *Lugar de negro*, entre outros trabalhos sobre gênero, política e raça.

LETÍCIA CAROLINA PEREIRA DO NASCIMENTO é pedagoga e mestre em educação. Foi a primeira mulher trans a ingressar no quadro docente da Universidade Federal do Piauí (UFPI). Atualmente cursa o doutorado em educação e leciona no curso de pedagogia do campus da UFPI em Floriano.

LUCIANA BOITEUX é advogada, professora, pesquisadora e ativista. Tem doutorado em direito penal pela USP, com tese sobre o proibicionismo das drogas e o sistema penal brasileiro. É professora da Universidade Federal do Rio de Janeiro (UFRJ). Filiada ao PSOL, foi candidata a vice-prefeita do Rio de Janeiro na chapa de Marcelo Freixo.

LUIZA BAIRROS (1953-2016) foi administradora, professora, ativista e ministra-chefe da Secretaria de Políticas de Promoção da Igualdade Racial entre 2011 e 2014. Doutora em sociologia pela Universidade de Michigan, começou sua militância no Movimento Negro Unificado (MNU). Trabalhou em programas de combate ao racismo da ONU.

MARCELA BONFIM é economista, fotógrafa e ativista. Radicada em Rondônia, seu trabalho visual investiga a negritude no contexto amazônico, com foco em povos quilombolas e afro-indígenas. Sua exposição (Re)Conhecendo a Amazônia Negra foi apresentada em São Paulo, São Luís, Fortaleza, Porto Velho e Rio Branco.

MICHELLE ALEXANDER, norte-americana, é escritora, advogada, pesquisadora e professora. Com passagens pelas universidades da Califórnia, Ohio e Stanford e pela Fundação Ford, é especialista em direitos civis, colunista do New York Times e autora de A nova segregação, best-seller sobre o racismo do encarceramento em massa nos Estados Unidos.

NEUSA SANTOS SOUSA (1948-2008) foi psiquiatra, psicanalista e escritora. Escreveu Tornar-se negro, ensaio de referência sobre os aspectos sociológicos e psicanalíticos da negritude no Brasil. Entre outros trabalhos, também publicou A psicose: Um estudo lacaniano e O objeto da angústia (com Maria Silvia G. F. Hanna).

NILMA BENTES é engenheira agrônoma, escritora e ativista. Foi uma das fundadoras do Centro de Estudos e Defesa do Negro do Pará (Cedenpa) e da Rede Fulanas — Negras da Amazônia Brasileira.

Atualmente integra a coordenação da Articulação de Mulheres Negras Brasileiras (AMNB).

NILMA LINO GOMES é pedagoga, professora, pesquisadora e escritora. Doutora em antropologia, foi a primeira reitora negra de uma universidade federal brasileira, a Universidade da Integração Internacional da Lusofonia Afro-Brasileira (Unilab). Foi secretária e ministra das Mulheres, da Igualdade Racial e dos Direitos Humanos no governo Dilma Rousseff. É autora de, entre outros livros, *Sem perder a raiz* e *Betina*.

PATRICIA HILL COLLINS, norte-americana, é socióloga, professora, pesquisadora e escritora. Doutora pela Universidade Brandeis, é professora da Universidade de Maryland. Foi a primeira negra a presidir a Associação Americana de Sociologia. Entre seus trabalhos sobre raça, gênero e classe social, destacam-se *Pensamento feminista negro* e *Black Sexual Politics: African Americans, Gender, and the New Racism*.

RODNEY WILLIAM EUGÊNIO é antropólogo, pesquisador e escritor, especializado em relações raciais e religiões de matriz africana. É mestre em gerontologia e doutorando em ciências sociais pela PUC-SP. Publicou *A bênção aos mais velhos:*

Poder e senioridade nos terreiros de candomblé e *Palavras de axé: Fé, esperança e coragem*.

SILVIO ALMEIDA é advogado, professor, pesquisador e ativista. Doutor em direito pela USP, leciona na Universidade Mackenzie e na Fundação Getulio Vargas (FGV). É presidente do Instituto Luiz Gama. Publicou, entre outros títulos, *Sartre: Direito e política* e *Racismo estrutural* (coleção Feminismos Plurais).

SUELI CARNEIRO é filósofa, pedagoga, professora, escritora e ativista. É doutora em filosofia pela USP e fundadora do Geledés — Instituto da Mulher Negra. Publicou *Racismo, sexismo e desigualdade no Brasil* e *Mulher negra: Política governamental e a mulher* (com Thereza Santos e Albertina Costa).

ZÉLIA AMADOR é professora, pesquisadora e ativista, além de atriz e diretora de teatro. Tem doutorado em ciências sociais pela Universidade Federal do Pará (UFPA), onde é professora de história da arte. Coordena o Grupo de Estudos Afro-Amazônico da universidade, da qual foi vice-reitora. É uma das fundadoras do Centro de Estudos e Defesa do Negro do Pará (Cedenpa).

1ª EDIÇÃO [2019] 13 reimpressões

ESTA OBRA FOI COMPOSTA PELA SPRESS
EM ELECTRA E IMPRESSA PELA GRÁFICA SANTA MARTA EM
OFSETE SOBRE PAPEL PÓLEN BOLD DA SUZANO S.A. PARA
A EDITORA SCHWARCZ EM MAIO DE 2021